ชัยพัฒน์ ทองคำบรรจง
Chaiyapat Tongkambunjong
柴雅帕‧通甘班宗　著

พนัชกร อยู่สะบาย
Panatchakon Yusabai
帕納查功‧尤薩拜　繪

Pailin Peilin　譯

轉世為貓咪後，
生活剛剛好就美好

放下條件，不糾結、不比較，
幸福來得更簡單

前言

有很多事情，我們人類自己也不太了解，

為什麼我要這樣做？

為什麼我會有這樣的感覺？

很多時候，我們所做的事情中並沒有答案。

我們有時讓自己受苦，有時讓自己心裡不舒服，

明知如此，卻又無法停止，仍然繼續下去。

「身為人類，為什麼會有這麼多問題……？」

讓我們一起透過貓咪的視角來尋找答案吧！

CHAIYAPAT

(ชัยพัฒน์ ทองคำบรรจง)

目錄

Chapter 1　為什麼人類會有那麼多問題？

- 16　美食
- 20　外貌
- 24　低頭族
- 28　條件
- 32　學習
- 36　購物
- 40　期望及失望

Chapter 2　不平凡的普通人

- 48　剛剛好
- 52　平凡的世界
- 56　完美
- 60　夢
- 64　金錢或感受
- 68　下雨天
- 72　追尋幸福
- 74　觀察睡覺的時候

Chapter 3　仔細觀察的一隻貓

82 流動的水

86 花的教導

90 滿天星光的夜晚

94 生病是正常的

98 無所求的幸福

100 一切都在教導我們

104 自我價值

108 恐懼

Chapter 4　貓也懂的道理

116 購買昂貴的東西回來放

120 擺脫金錢的束縛

124 問題

128 平凡中的不平凡

132 人類的幸福

138 衰退的美好

144 不可避免,但可以選擇

「美好的生活，真的一定要這麼困難嗎⋯⋯？」

每當我看到現代人的生活方式時，
　腦中就會浮現出這個問題。

　　人們變得更容易吵架，
　　會因為一些小事而生氣，
　甚至會因為一個眼神就感到不滿。

　　幸福變得越來越難以獲得，
　而痛苦卻總是來得輕而易舉。

過去幾十年來，世界迅速發展。
人們能夠更輕鬆快速地旅行，
過去難以想像的視訊通話，
如今只是再普通不過的小事。
想看電影、追劇或聽音樂，
只需打開手機，不論身在何處，
只要有網路，就能立刻實現。

然而，在進步的同時，
衰退也悄悄發生了。
人們的生活更加便利了，心靈卻日漸空虛。

以前的人們享受著較少的便利，
卻很容易感到幸福。
而現代的人們雖然擁有更多便利，
卻更難找到快樂。

「人類的生活變得更加舒適便利，
為什麼幸福卻變得更難以獲得呢……？」

人類從未懷疑，但像我這樣的貓咪……覺得很困惑。

沒錯，我只是一隻貓，
一隻過著普通生活的普通貓咪，
身在平凡的世界裡，
和那些不平凡的人類一起走著……

大家可能會感到困惑,一隻貓能懂什麼呢?
怎麼會說出這些貓言貓語呢?

沒錯⋯⋯一隻貓又能知道什麼?
只會喵喵叫然後睡覺,
整天跑來跑去,到處玩耍。

但我不一樣。
我出生時,就擁有前世身為人類的記憶。
沒錯!
我還記得過去身為人類時的故事,
因此,我看待生活的方式可不一樣了。

帶著前世身為人類的記憶與思維,
再透過這一世的貓咪視角,
我能夠清楚地看見——
是的,沒錯,人類真的把事情搞得太複雜了!
不知道人類何時才能意識到:
為什麼要讓生活變得這麼難?
來看看我這隻貓的觀點吧!
也許能讓你們人類想通點什麼……喵〜

Chapter 1

爲什麼人類會有那麼多問題？

美食

回到前世,我還是人類的時候,
那時資訊傳播還不像現在這麼快速、無遠弗屆。
人們所認識的世界,大多就是自己居住的地方。
巷口那間潘大姐的餐廳有好吃的咖哩飯,
前方街角崔叔叔的甜點店味道很不錯,
陶大哥賣的黑咖啡配上油條,是整個鎮上最棒的組合。

那時候,人們喜歡的東西很簡單,而且不需要太多。
人們滿足於眼前擁有的事物,
內心自然而然感到平靜,不需要刻意努力追尋。

如果和這一世身為貓咪的我比較,
我只要有一條鯖魚,幾乎就等於擁有了全世界。

讓我們看看現代人們最喜歡的東西吧⋯⋯
光是餐廳的類型,就幾乎分類不完了,
食物的種類更是多得數不清。
這個好吃,那個也不錯,另一個甚至「吃了會幸福」。
在行銷宣傳和市場策略的推動下,
美食已經多到目不暇給,
廣告每天都在推送新的美食,
每天都有新的美食話題在社群媒體上誕生。

當喜好變多，慾望也會隨之增加。
當慾望變多，幸福就越難以獲得。

沒錯⋯⋯就是這樣，
幸福與慾望是相輔相成的，
因此，以前的人比現代人更容易感到幸福，
而一般的貓咪，也往往比人類更快樂。

滿足感很重要，是幸福的基礎。
越容易滿足，生活就會更加幸福。
但現在的人們越來越難感到滿足了⋯⋯

相互模仿已經變成隨處可見的現象。

這個人去吃了某家美食,

那個人去咖啡廳拍了美照。

你是否忘記了呢?

你真正想要的是什麼?

你真正愛吃的是什麼?

還是說,你只是模仿別人的喜好,

模仿到讓慾望永無止境,痛苦不堪。

你知道嗎?對一隻貓來說,

幸福其實很簡單,每天都有滿滿的幸福。

「只要不盲目模仿任何人就好!」

外貌

我在這一世見到人類後，
有一件事讓我忍不住「喵……！」一聲驚呼出來。

那就是人類的穿著打扮。
在過去的時代，
衣服只是用來禦寒、遮風擋雨、防止蚊蟲叮咬，
衣服的功能，只是為了舒適與保護肌膚。

但在這個時代，
即使是在炎熱的陽光下，
仍有人穿著長袖皮衣，
忍受著酷暑，汗水像河水般流下，
只是為了讓他人欣賞他們的美麗。

衣服成了身體的裝飾品，
不管天氣有多熱、皮膚有多癢，
只要夠漂亮、帥氣和時尚，人們什麼都願意穿。

不僅如此,模仿已經成為一種風潮,
當人們的自我認同感變得脆弱,
藝人、明星、歌手因此成了社會潮流的指標。

誰的妝容、打扮、穿著、髮型越像藝人一樣,
就越受稱讚和推崇。
不做自己,反而成為了理所當然的常態。

只是因為看見別人這樣做就跟著做,
只是因為別人喜歡就跟著喜歡。
這樣的人類,和變色龍又有什麼不同呢?
一味地模仿別人,最後卻忘了自己是誰。

人類可能會覺得動物不如他們,

沒錯……也許確實如此。

但你知道嗎?

人類做的許多事情,

其實正讓自己的價值變得越來越渺小。

「身為人類曾經是那麼簡單,也比現在自在得多。」

為什麼做自己會感到不快樂?

為什麼要為生活設下這麼多條件,讓一切變得更困難呢?

幸福之所以難以實現,

就是因為設下了條件,讓它變得遙不可及。

要不要稍微暫停一下呢?

讓我們試著放下那些條件,

幸福就會自然而然變得簡單起來。

低頭族

從過去到現在,
「相聚」一直都是人類最溫暖的時光。
父母和孩子們坐下來聊天,
朋友們互相打趣、輕鬆嬉戲。

在人類社會的溫暖氛圍中,充滿了笑聲和對話。
無論有多忙碌,人們總會騰出時間與彼此交流,
因此,人與人之間的情感羈絆與笑容,
從未自人類社會中消失。

隨著時間的流逝,人類的社會又發生變化了。
身為貓咪的我看著這一切,都跟著頭暈了!

在這個時代,通訊設備已經主宰了世界,尤其是手機。
不對,已經不是單純的手機了,
不如說它是兼具通訊功能的相機加電腦。

由於提供了便利性與全方位的娛樂,
手機已經成為每個人必備的物品。
即使是不會說話、還不會閱讀的幼童,
都已經能熟練地玩手機了。

低頭用手機已成為人類習以為常的事。
低頭到脖子受傷、滑到手指僵硬,
時時刻刻都在滑手機,甚至有人還沒放下手機就睡著了。

當人類對手機上癮達到極致時,
笑聲和對話就會從人與人相處的時光中逐漸消失,
原本溫暖的互動變得陌生,
只知道手機裡有什麼新鮮的事物可玩,
有什麼新的資訊可讀,
於是,「低頭族」誕生了,新的價值觀也出現了——
人們即使聚在一起,也很難真正注視對方。

因為知道的訊息太多了,心靈就會難以平靜。
知道得越多,就會想得越多。
想得越多,就越會感到壓力和焦慮。
「那種不必知道太多的簡單幸福,因此悄悄消失了。」

不知道你還記不記得⋯⋯
在手機只能接聽和撥打電話的時代,
那些日子有多麼幸福,內心有多麼安穩。
雖然當時的便利性可能不及現在,
卻多了彼此交流的時光,也多了理解與微笑。

條件

「好舒服啊……真放鬆～」
身為一隻貓,
我的腦海裡總是充滿這樣的想法。
無論看向哪裡,無論看見什麼,
時時刻刻都能感到幸福。

微風輕拂嫩草,

細雨滴落在屋瓦上輕響,

一群黑蟻正在搬運著螞蟻蛋。

幸福總是藏在一切簡單的事物中。

但為什麼人類卻看不見呢?

的確如此,

幸福一直都存在,人類卻選擇不去看見。

即使看了,也只看見了許許多多的條件,

這些條件,都是自己銬上的枷鎖。

無論看什麼，都先看到條件，
無論想什麼，滿腦子也都是條件，
必須滿足許多條件，才會感到幸福。
如果不符合這些條件，就會感到痛苦。

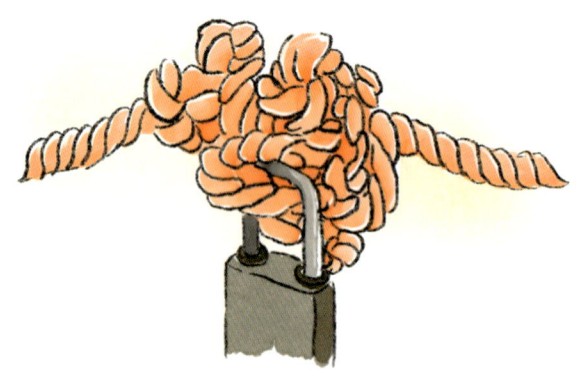

這些條件就像糾結的繩索，還被鎖頭牢牢鎖住。
如果想要獲得幸福，就得先解開這些條件，
所以必須先找到鑰匙開鎖，
再解開那些打結的繩索。
光是想想就覺得疲憊，
你看，這一切是多麼複雜又困難。

事實上，有條件不一定是壞事，
但也沒必要為每件事都加上條件。
「條件越少，幸福就越多。
條件越多，幸福就越少。」
事情就是這麼簡單。

幸福的貓咪和痛苦的人類，
唯一的差別，
就是**「設下多少條件」**。

學習

當我還是一隻小貓的時候,
我跟著貓媽媽學習如何抓壁虎,
關鍵就在於時機,
如果沒有正確地把握時機、瞄準好目標,
就怎麼樣都抓不到壁虎。

生活也是這樣,需要不斷學習。
我學習,是為了能夠快樂地生活,
而幸福,正是學習的最終目標。

但現在這個時代的人類,
我也不知道他們究竟在學什麼,
還有,他們仍然確信幸福是學習的目標嗎?

以前的孩子四歲才開始上學,
現在,孩子還不到一歲就必須進入校園。
以前,放學後是可以放鬆的時間。
現在,孩子放學後除了補習,什麼事都不能做。
在學期當中必須去補習,
甚至在寒暑假期間,也一樣要去補習。

隨著社會價值觀的變化，
人類習慣了不獨立思考，
不斷地互相模仿，
進而產生了無止境的學習模式。
為了取得較好的成績而學習，
為了競爭最高的名次而學習。

那麼，學習的最終目標「幸福」，又在哪裡呢⋯⋯？
曾經，學習是為了獲得快樂，
如今，反而是為了追求最高的分數。

如果做一件事時忘記了初衷，
如果做一件事只是出於習慣，
如果做一件事時沒有深思熟慮，
那麼，學習的終點，
也許是痛苦大過於幸福。

**每個生命都有屬於自己的道路，
從來沒有既定的模式，
也不必與誰相同。**

每隻貓的行為也不盡相同，
那麼，為什麼人類總是想和別人一模一樣呢？

購物

現代的人類和過去的人類有一點非常不同,
那就是「購物的方式」。

以前,人們只有在真正需要時才購物。
如果一時想不到要買什麼,
等到走進店裡、看見商品時,覺得需要買,才會買回家。

但我這隻貓眼中看到的是,

購買和銷售已經進入了新的階段。

人們購物並不是因為真正需要,

而是因為價格很便宜,或是因為有打折。

「其實原本只想買一件,但買兩件比較便宜,

那就買兩件吧!」

「其實根本不需要,但因為很便宜,那就買一打吧!」

人們確實會基於慾望而行動，
因為想要，所以去做。
但你是否想過，這份慾望是真的來自於自己，
或者其實是被操控的呢？

這樣看來，人類和傀儡又有什麼不同呢？
人們的思想和慾望已經被控制了，
跟隨著社會的行銷手法行動。

你知道嗎？身為一隻貓，可能會碰上一點困難，

但從不會覺得欠缺什麼。

當不知道自己能想要什麼時，

就沒有什麼想要的了。

那麼，又怎麼會覺得缺少什麼呢？

奇怪的是，人們明明被各種事物所填滿，

內心反而又覺得缺少了什麼。

得到的越多，慾望就越多。

填得越滿，內心就越空虛。

於是只能不斷購買新的東西。

這就是人類啊……

期望及失望

我見過世界上的各種景象，
人類因為發生的各種際遇，時而快樂，時而悲傷，
幸福和痛苦交織於生活中。

當願望實現的時候,
人們將這種滿足感稱為「**幸福**」。

當事情不如所願的時候,
人們將這種失落感稱為「**痛苦**」。

沒有人能夠一直稱心如意,
也沒有人總是一直失望。
因此,人類的思維彷彿鐘擺,
無止境地來回擺盪。

擺動到左邊⋯⋯就是幸福，
擺動到右邊⋯⋯就是痛苦，
人的內心，真的只能這樣嗎？

身為一隻貓，
有許許多多的事情是我做不到的，
因此，我們必須選擇接受事實，
心才能變得更加平靜。

心中的鐘擺，

誰說一定要不停擺盪？

其實，只要學會接受現實，

它就能夠靜止下來。

如果開始感到厭倦和困惑，

對於時而幸福、時而痛苦，

如同鐘擺般來回擺動的內心感到疲憊，

那為什麼不開始學著接受現實呢？

已發生且無法改變的事情，

終究還是得接受，不是嗎？

與其空等著看結果會圓滿或落空，

接受事實不是更好嗎？

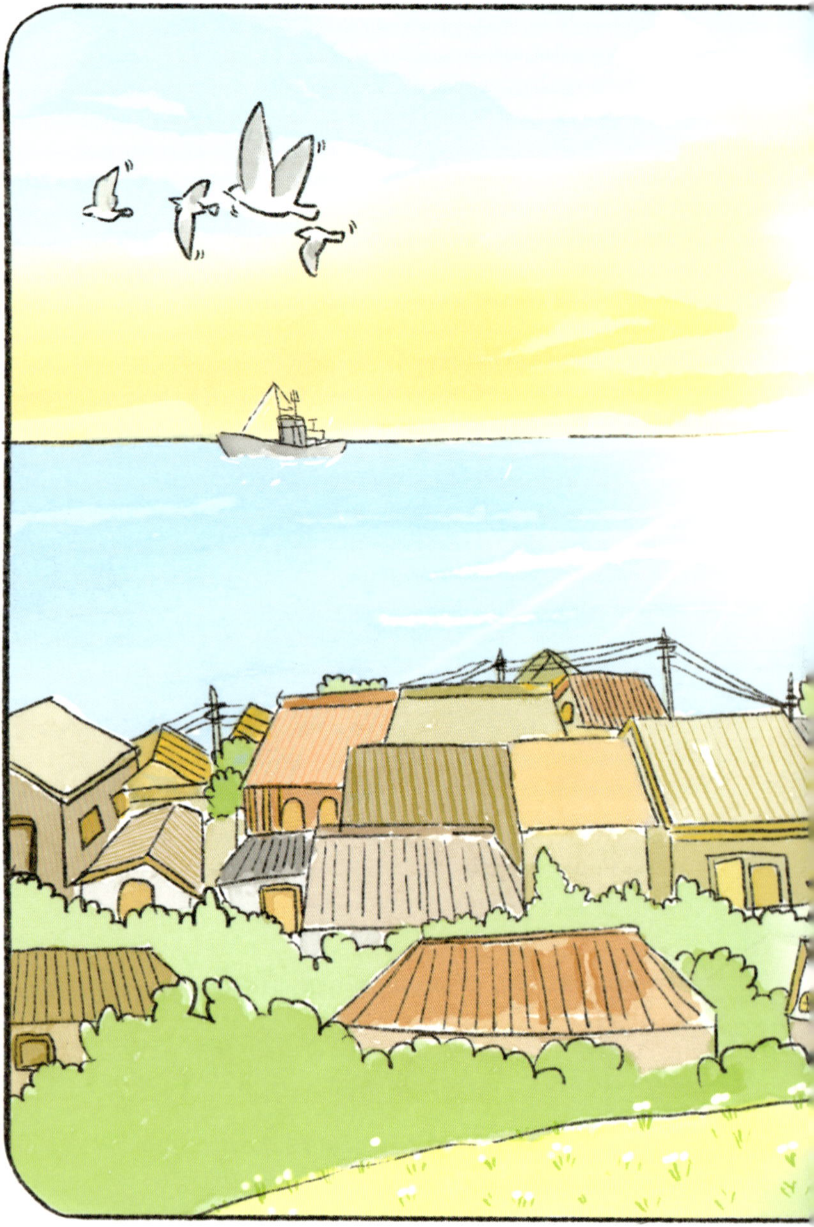

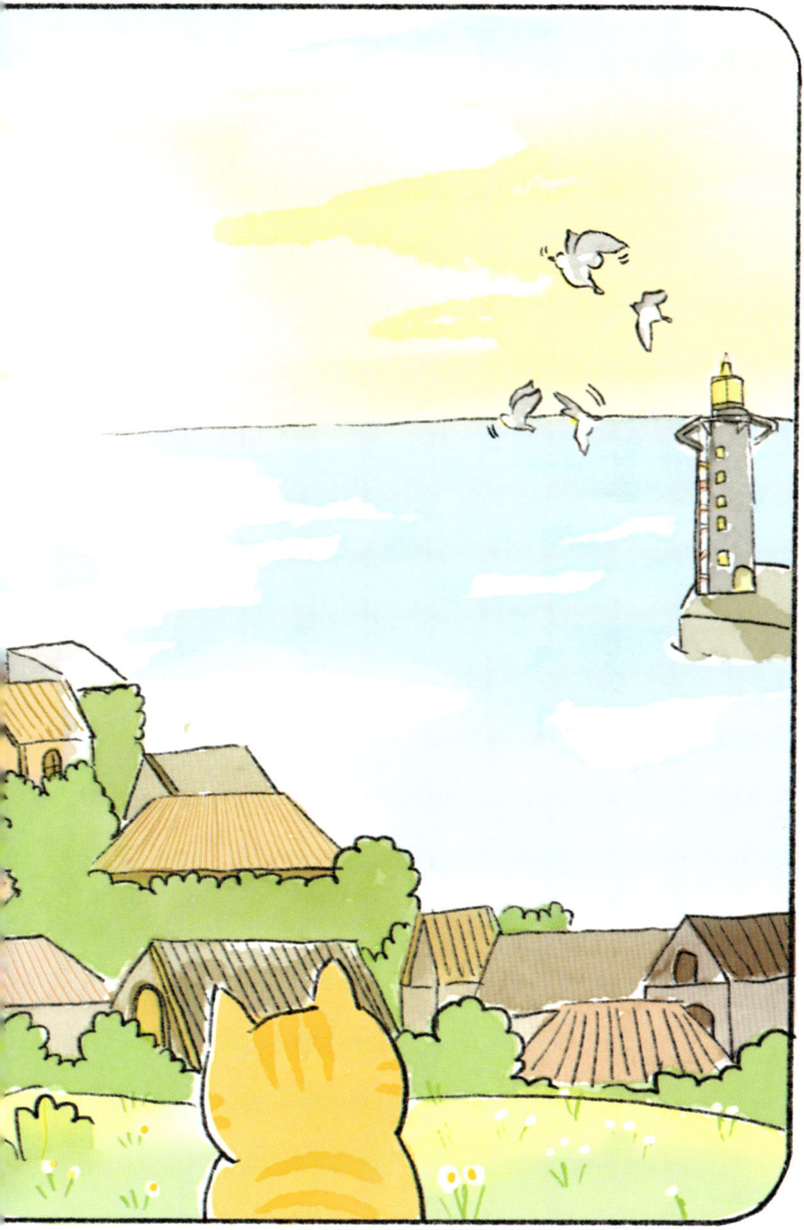

Chapter 2

不平凡的普通人

剛剛好

隨著年紀增長,我逐漸能將不同的事物看得更加透澈。
我們貓咪,看待許多事情的視角與人類有所不同,
其中最明顯、不需留意就顯而易見的,
就是——**懂得「剛剛好」的生活方式。**

身為一隻貓，

吃飽了，就滿足了；

肚子餓了，就去覓食；

事情做完了，就去睡個覺。

生活並不複雜，

就是這麼舒服、自在。

但人類的生活,從過去到現在,
隨著世界迅速發展,
越來越多新的食物和新奇的商品都不斷增加,
人類的慾望也隨之膨脹。

我們的生活就像一個空杯子,
這個杯子代表現實的基本需求。
杯子的大小始終相同,
維持生活的基本所需也始終保持不變。

用各種事物填滿自己，就好比將水倒入杯子一樣，
人們使用的是相同尺寸的杯子，
當人們隨心所欲、無止境地將水倒入杯子時，
水就會無可避免地滿出來。

但人類總認為必須多倒點水，
想滿足自己的各方面需求，
想喝水就去倒，倒完後水就滿出來，溢出了又繼續倒，
永無止境地重複這樣的循環。

問題不在於填補自己，
而在於人類根本不夠了解自己——
不知道自己真正想要什麼，
不知道什麼才是「剛剛好」。

當我們不管杯子的大小，只顧著將水倒進去時，
這些慾望便永遠無法被滿足。

「生活真的很簡單，我們只需要了解自己，
並懂得多少才是剛剛好。」

平凡的世界

世界好混亂又不正常,對吧?
在前世時,我有很長一段時間都是這麼想的。
世界就是這麼不公平,
如果想擁有美好的生活,就必須奮鬥努力。

這個世界充滿了自私和利益,
好人很少,壞人卻越來越多。
危險無所不在,
生活也因此充滿了恐懼。

但身為一隻貓,

我用不同的角度看待世界。

太陽升起又落下,

早晨時,蝴蝶翩翩起舞,

下雨時,青蛙跳進水裡玩耍,

這個世界並不混亂,世界其實就是這麼正常!

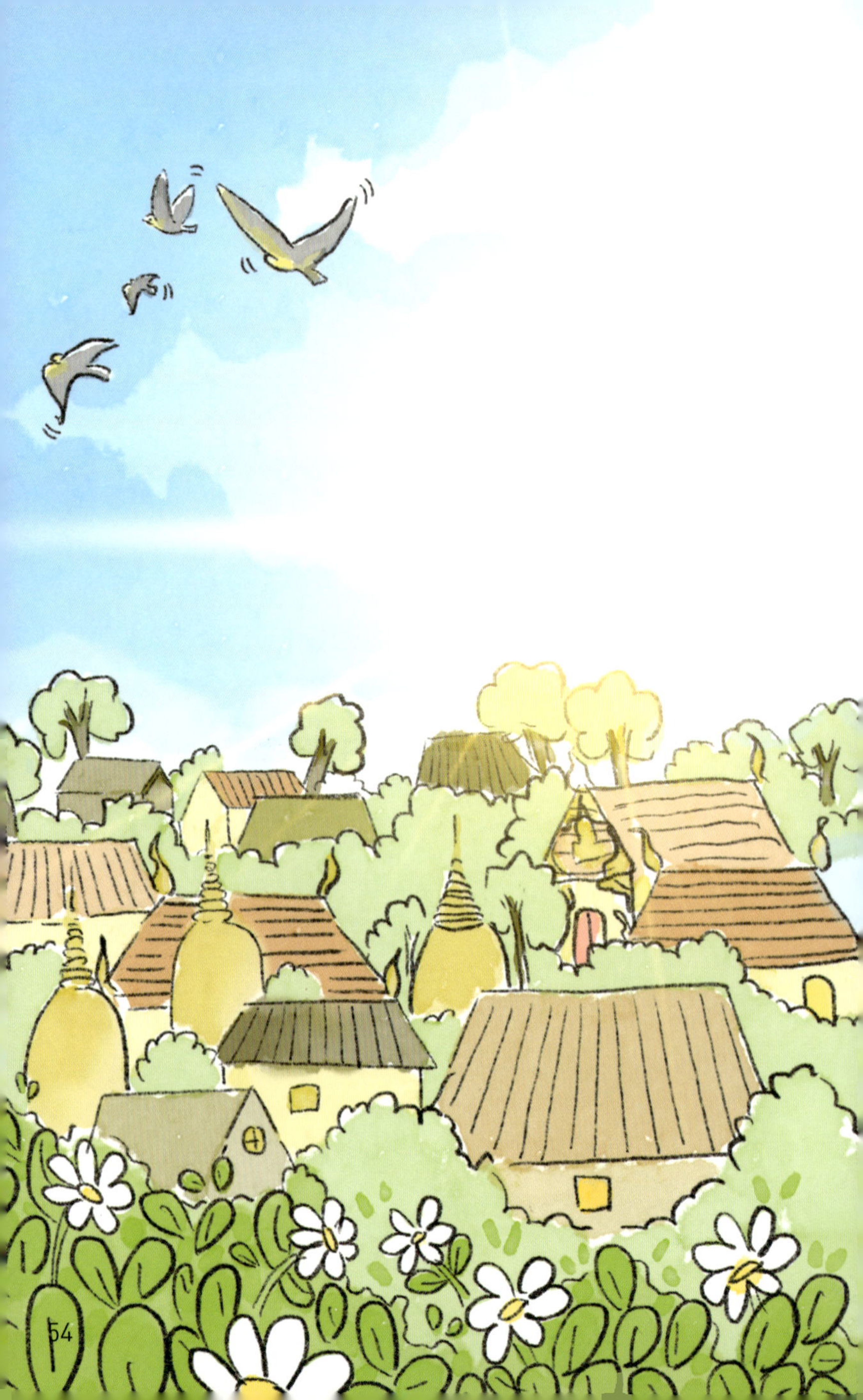

為什麼當我改變時,世界也隨著我而改變?
人類依舊自私,
危險和疾病也變得更多。

但是,世界其實沒什麼變,
它依然是一個平凡的世界。
世界改變,是因為我們的心在改變。
我們無法改變世界,但能改變自己的心態,
並選擇如何看待這個世界。

「世界是什麼樣子,取決於自己的觀點。」

完美

今天我吃了一條大魚,
吃飽後就躺下來準備睡覺,
然後就在陽光下的草地上睡著了。
我覺得這樣的生活真的很完美。

隔天我什麼也沒吃，
只咬了幾口盈滿露珠的嫩草，
我到處跑來跑去，和蝴蝶一起玩耍，
躺下來看鳥兒飛來飛去，
僅僅是這樣，我就覺得——
今天，也是完美的一天。

在我的貓生裡，

沒有一天是不完美的，

我每天都覺得很幸福，

簡簡單單就能感到快樂，煩惱少到連我自己都感到困惑。

為什麼我會有這樣的感覺呢？

不論外面的世界怎麼變化，

我的內心總是很充實。

為什麼我能這樣呢……？

後來,我找到答案了。
**只要不去想自己缺少了什麼,
只要不去想「做自己是不是不太好?」,**
這樣就會覺得自己超級完美了!!

夢

昨天我被一場可怕的惡夢嚇醒，

我夢見自己還是人類，

必須為了錢拚命努力，

必須在希望與失望之間煎熬，

被社會的眼光束縛，成為他人評價的奴隸。

當我從夢中醒來的那一刻，突然覺得鬆了一大口氣。

我依然只是一隻貓，

一隻過著平凡生活的普通貓咪，

不必被任何人批判，

快樂或悲傷都取決於自己。

為什麼人類無法擁有自由？

為什麼一定要束縛自己，

成為別人思想的奴隸？

世界並不殘酷，殘酷的是人類對自己殘忍。

讓我們仔細想想，

人生與夢其實沒有什麼不同。

夢是我們自己創造的，

我們在夢中執著不放手，

於是我們因自己構築的夢而煩惱，

為自己編織的夢而受苦。

在真實生活中,沒有什麼是永久的,
沒有人會一直痛苦,也沒有人會永遠快樂,
沒有人會永遠一樣,一切都只是短暫的過程。
所以,現實生活與夢境並沒有什麼不同。

在前世,我曾經是一個人類。
這一世,我醒來後變成了一隻貓,
我不知道下輩子我會是什麼樣子,
但我清楚知道的是——

世界上沒有什麼事能永遠不變,
當你不再執著,不再過度思考,
所有讓你擔心的一切,終究都會過去。

金錢或感受

我認為對貓來說,非常幸運的是──
我們不需要靠錢過生活。
因為,很多時候,金錢會讓人們忘記,
自己真正需要的是什麼。
是幸福?還是平靜?
還是只是想要錢而已?

金錢或許是必需的,

因為它是買賣和交換的工具。

但你是不是忘了呢?

世界上仍有很多重要的事物,是金錢無法買到的。

尤其是內心的感受,

從來無法用金錢強求。

在貓的世界裡,

每隻貓都依照自己的感覺過生活。

沒有金錢,

就沒有「變有錢」這件事,

不會變得更受關注,

也不會獲得更多名聲。

但貓能得到的,

就是更能自由地隨心而行,

更容易看見幸福,

能夠得到不被利益蒙蔽的愛。

沒錯⋯⋯
就是金錢買不到的事物。

能獲得比以前更自在的生活,
能夠看見更美麗的世界。

那麼,你呢?
你真正想要的是什麼?
是金錢,還是內心的感受?

下雨天

今天一早，我一醒來就呼吸到新鮮空氣。
從昨晚開始就一直下著細雨，
直到天亮，雨依舊下個不停。
在這潮濕涼爽的天氣，
縮成一團繼續睡覺真是太棒了！
我喜歡下雨天。

但仔細想想，過去我還是人類的時候，

真的不太喜歡下雨。

因為如果下雨了，

我母親在市場的魚店生意就會不好，

她甚至會向上天祈禱，

祈求不要下雨。

然後我回過頭看看現在，
有許許多多的人在雨中經過。
有些人的臉上帶著笑容，
有些人的臉上則露出痛苦、不開心的表情。

事情就是這樣，
其實雨只是在履行它的職責，
並沒有要讓誰受苦。
只是有些人類為自己徒增困擾，
因為他們不願意接受現實。

有時候會下雨，這是正常的。
下雨時會淋濕，這是正常的。
有些人會因為下雨的影響而有所損失，
這也是正常的。

為什麼人類不選擇接受和理解呢？
無論能不能接受，
雨還是會繼續下著。

如果你在雨天時感到煩躁，
至少不要責怪雨吧。
「但要知道，我們感受到的這一切，
其實都是因為我們固執而自尋煩惱。」

追尋幸福

我曾經數度踏上尋找幸福的旅程，

幸福究竟在哪裡呢？

幸福到底是什麼樣子呢？

我出發向前走，

穿過大大小小的灌木叢、躍過一道道牆，

在屋頂上來來回回尋找著。

但當我走沒多久,便開始感到又累又渴。

咦……越是尋找幸福,

反而越是看不見心中的幸福。

尋找的時間越長,幸福就越是消逝。

今天已經很累了,就先到這裡為止吧,

我走回平常睡覺的地方。

噢……原來幸福在這裡呀。

當我尋找幸福時,反而看不見它。

而當我看見幸福的時候,就不必去尋找了。

因為幸福不曾消失過,

只要停止「必須尋找幸福」的想法,

就會找到消失的幸福。

觀察睡覺的時候

為什麼貓咪喜歡整天睡覺?
一開始,我很害怕整天睡覺會很無聊,
但當我仔細觀察我們貓咪睡覺的時候,
我發現睡覺其實很不簡單。

在我準備睡覺的時候，
無論外界有多紛亂，
無論思緒有多喧鬧，
當我的身體躺平即將入眠時，
那些想法就會瞬間消失。

「*沒錯，就是這樣！*
當我們睡覺時，世界上的一切都會消失不見。」

透過觀察睡覺的狀態,
能夠每天提醒我們:

混亂的其實並不是我們自己,而是思緒。
當我們停止思考時,這些混亂就會消失。

觀察得越多,就會看得越清楚。
我是誰?我喜歡什麼?
我不喜歡什麼?
關於我們的一切、我們擁有的每一種感受,
都來自於我們的想法。

當我醒來之後,
所有的想法又再次浮現。
我們會想:這是我擁有的、那是我擁有的、
那是他人擁有的,
這些種種想法也為我們帶來了問題。

至少在準備睡覺的時候觀察看看,
快要睡著時,我們不會對一切過於執著,不會責怪任何事。
我們不會忘記,所有的混亂,其實都來自自己內心的思緒。

**「如果你還是不明白,就試著去睡覺,
然後一起來觀察吧。」**

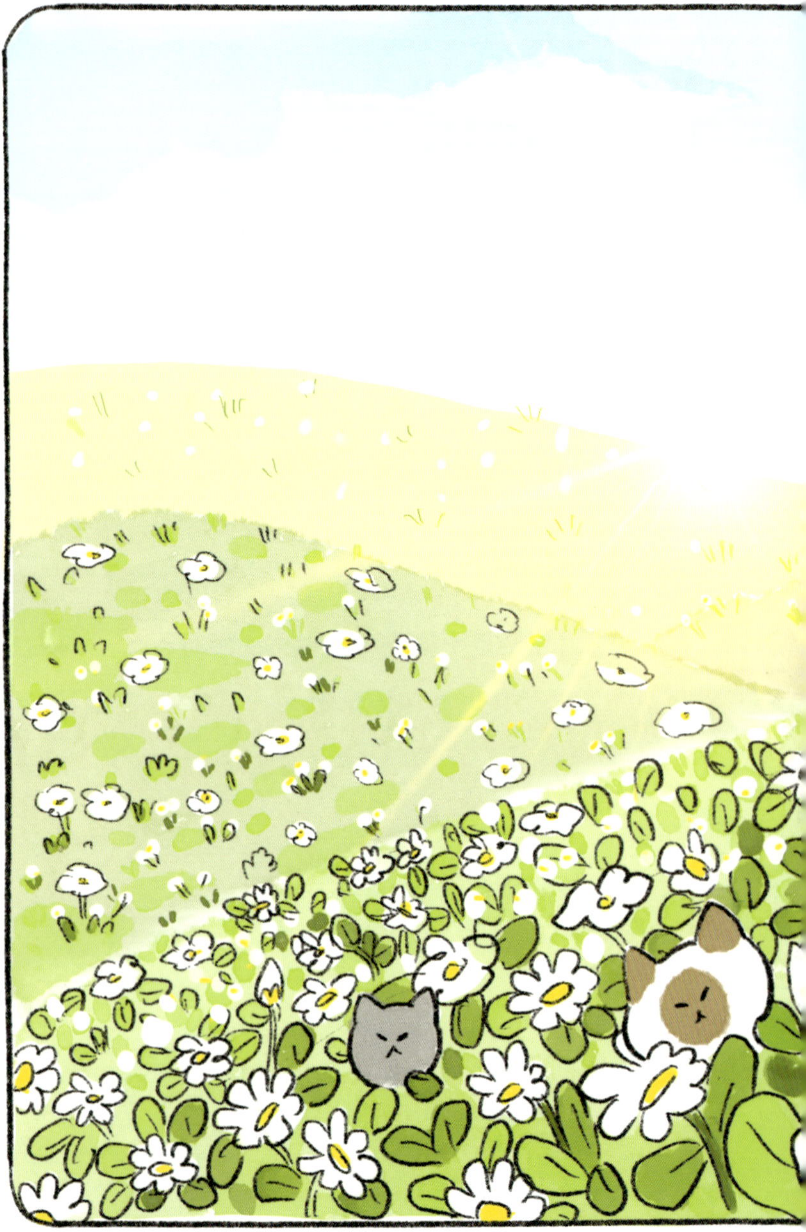

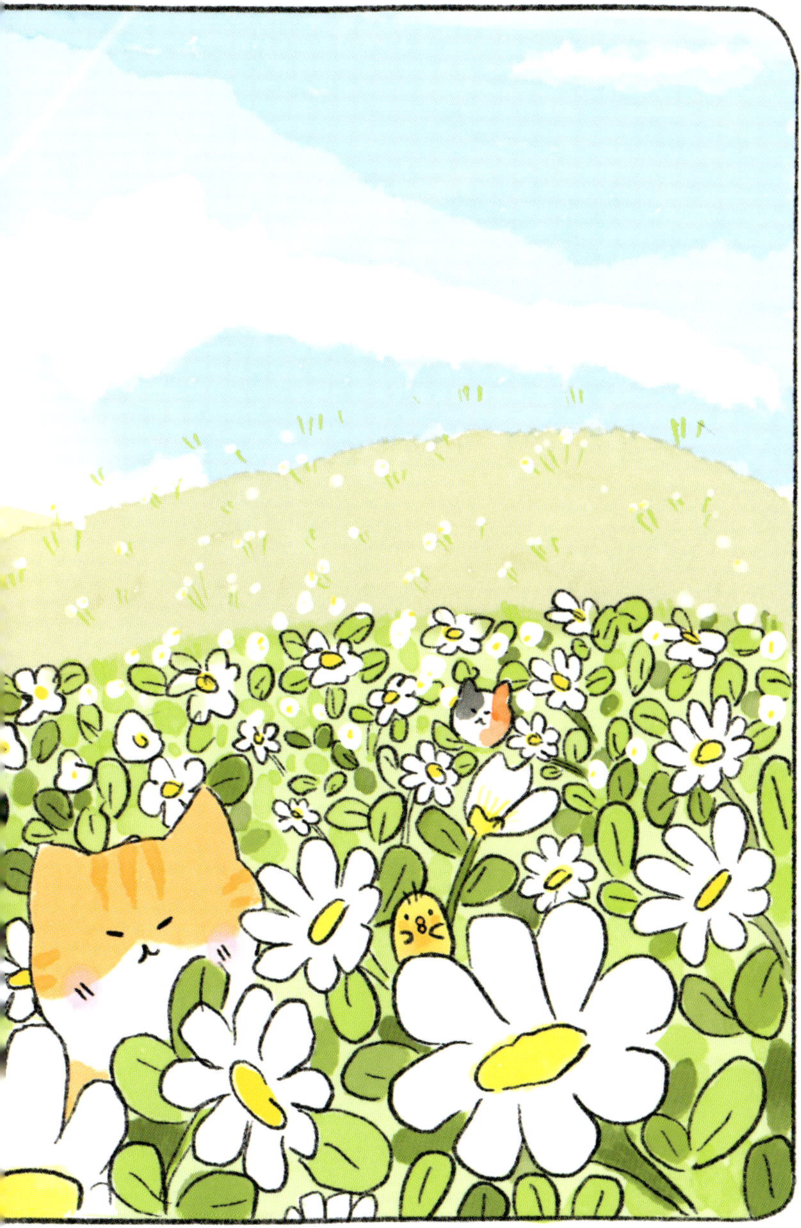

Chapter 3

仔細觀察的一隻貓

流動的水

經過幾天的大雨後，

運河的水位開始上升。

當我俯視運河時，

看見曾經靜止的水，

現在沿著河道緩緩流過。

河流的流動與時間的流動沒有任何不同。

一旦流逝,便無法倒流。

當一切已經發生並結束時,

就無法再回頭修復任何事物。

昨日剛過去，

今日又到來，

然後今天很快地也會過去，

因此，生命的行進與河水的流動沒有什麼不同。

我們無法改變過去，

我們無法確定未來會是什麼樣子，

但我們可以開始讓現在變得更好，

現在就是最重要的時刻。

總是沉浸於過去、一心對未來充滿期待，
這樣的生活並不是真實的生活。
因為，在我們感受和存在的當下，
就只有現在這一刻。

身為一隻貓，生活看似沒有未來，
只會喵喵叫、舔舔毛，然後就去睡覺。
但每隻貓咪每天都活在當下，
不曾回想過去，也不曾幻想未來，
正因為如此，貓咪每天都能過得輕鬆自在。

花的教導

大自然是美麗的,
是世界送給眾生的禮物,
無論是人還是動物,
都能在大自然中放鬆心靈。

對我來說，
讓大自然更加美麗的事物，
一定就是花。
像我這樣的貓咪，很喜歡在花叢中休息。

花是美麗的事物，
為大自然賦予色彩，
散發出溫柔的香氣，
讓人感到放鬆。

雖然花很美，
但不久後就會枯萎凋謝。

正因如此，
花總是在教導我們：
沒有什麼能一直存在，
沒有什麼是永恆的，
沒有什麼是永久的，
一切都是一樣的。

出生……

存在……

衰退……

最終消逝。

當我們明白這一點時，
就不必再過於執著，
因為最後，我們無論如何還是要學會放手。

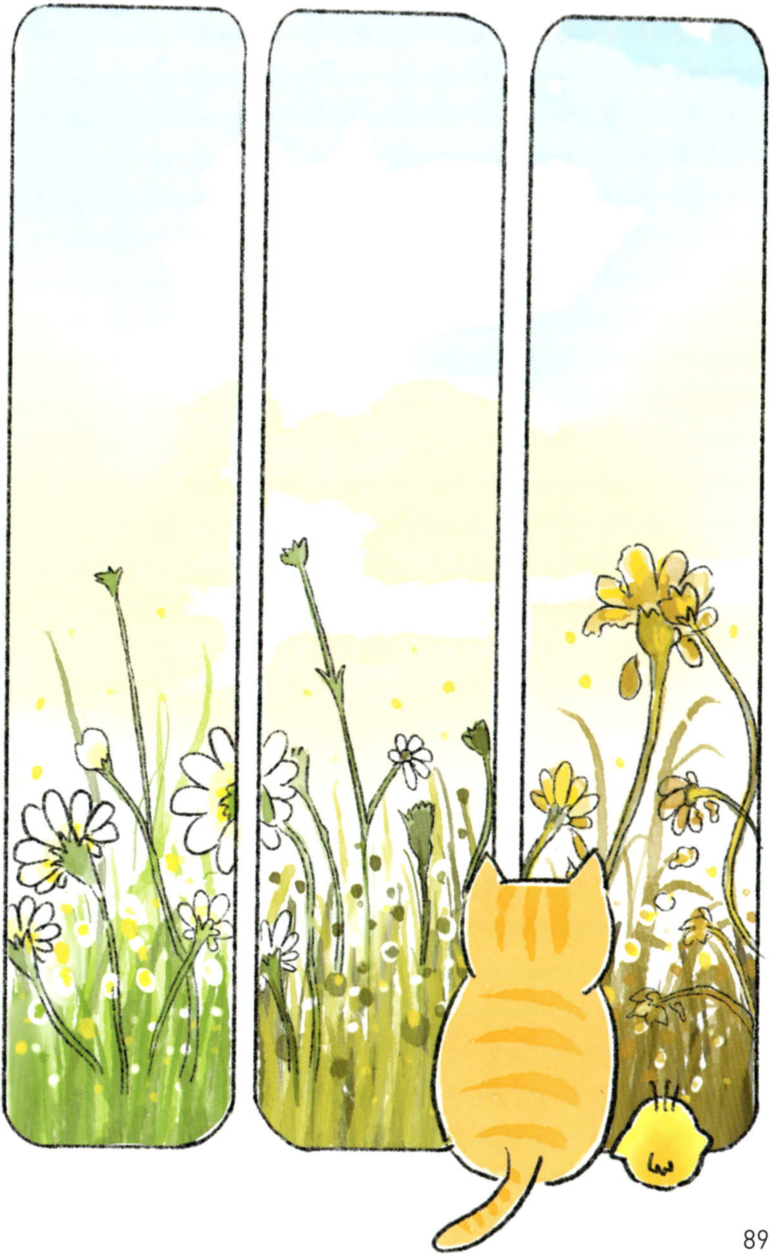

滿天星光的夜晚

今晚我一點也不覺得睏，
可能是因為已經睡了一整天。
雖然睡不著，但我並不感覺孤單，
因為我還有天上的星星作伴。

夜晚越是黑暗,
天上的星星就越是顯得明亮。
只有當天空足夠黑暗時,
我們才能看見星星的光芒。

特別是在白晝時分，
即使我們可能看不到星星，
但請你要知道，
星星始終在原地，從未離開我們。
太陽的光輝遮蔽了星星的光芒，
並不意味著星星消失了。

所以，星星總是教導我們：
人生的許多事物與星星的光芒並沒有什麼不同。

每片黑暗都存在著光明，
每個問題都會有解決辦法。
當我們遇到不好的事情時，
還是有好的一面值得一看。
仔細去看，就能在生活中看見幸福。

生病是正常的

你曾經生過病嗎?

這是一定的,誰沒生過病呢?

生病是身體的正常現象,

無論是人類還是動物,

出生後,都不可避免地會生病。

過去，當我身為人類時，

我最大的恐懼就是疾病。

但無論有多害怕，有多用心照顧自己，

最終，我們都會生病。

到了現在，身為貓的我依然會生病。

身體時而生病，時而強壯，

生病是一件正常的事，

我不再恐懼生病了。

沒有什麼是永遠強大的，
沒有什麼是永遠常在的，
一旦出生，
就不可避免地會生病。

新的事物，必然會變成舊的。
強壯健康的，必然會逐漸衰弱。
這是世界上的常態，可以說是很正常的事情。

至於人類所渴望的「正常」,
那種「不生病」的狀況,
其實並不存在。

人類所認為的「正常」其實並不正常,
而所謂的「不正常」其實是自然、正常的。
你也許騙得了貓,也許騙得了人類,
但請別再欺騙自己了。

無所求的幸福

「擁有」這個詞是人們最喜歡的,
每個人都為了追求擁有而活著。
如果想擁有某樣東西,就必須盡全力付出。

我們以為擁有了就會感到幸福,
但當我們渴望擁有卻無法得到時,
反而會感到痛苦。
當我們擁有後,卻又害怕再次失去。
失去擁有的東西,便得再次忍受痛苦。

所以,「擁有」到底是幸福還是痛苦呢……?

身為貓咪的我很幸福,因為我擁有的不多。
覺得還未擁有什麼的人們,請仔細看看,
你會發現,幸福其實就在「未擁有」當中。
對於所擁有的心滿意足,才是真正的幸福。

一切都在教導我們

大多數人都從學校學習,
因此,人類習慣有老師講課、教導,
忘記了能從周遭的事物中學習。

因為貓咪沒有去上學,
所以習慣從大自然中學習,
這是身為貓咪的另一個優點。
如果人類想要模仿的話,
貓咪也不會多說什麼。

我們周遭的一切總是在教導著我們,
只有我們自己才能察覺並從中學習。

像是樹葉的飄落,

教會了身為貓的我⋯⋯

每一片葉子，
其實與我們不喜歡的事情沒有什麼不同。
葉子掉落是自然的現象，
而不愉快的事情也不可避免地會發生。

因此，貓的生活不太會有問題，
因為所有發生的事情都是正常現象！！

自我價值

這個世界上有許多奇怪的事情，
不論是像我這樣擁有前世記憶的奇怪貓咪，
還是人類的許多奇怪行為，
像是忽略自身的價值。

確實⋯⋯人類總是讓身旁的人定義自己的價值與身分。

當今社會中的人類，

總是讓別人來決定自己的價值，

我們會成為什麼樣的人？

這取決於社會告訴我們，我們是什麼樣的人。

我們的幸福是什麼？

也取決於社會告訴我們，什麼是幸福。

如此一來，人類與機器人都被社會設定了程式，又有什麼不同呢？

身為貓咪的我常常看見這些事情，卻總是不明白，
為什麼不問問自己的內心呢？
為什麼要等待社會來告訴我們，
我的美好生活應該是什麼樣子……？
不如自己想想看吧。

恐懼

世界上有很多令人害怕的事情,
前世身為人的我可以告訴你,
我是一個非常膽小的人。

老鼠……我會怕,
貓咪……我會怕,
鬼……我也會怕。

但是，當我在這一世變成一隻貓咪後，
奇怪的是，我竟然不害怕了。

老鼠……我不害怕，而且還喜歡吃。
貓咪……就是我自己，我怎麼可能害怕自己？
鬼……我是一隻貓，怕它做什麼？

如果那些事物真的令人害怕,
那為什麼現在我反而不害怕了呢?
因此我產生了一個疑問。

恐懼是什麼⋯⋯?
我們所害怕的事物從何而來⋯⋯?

在我躺下來,搖一搖尾巴後,
我找到了答案。
恐懼就是思想的產物,
是我們自認為的想法。

每一個人或每一隻貓,

都害怕不同的事情。

每個人害怕的事物數量也不一樣,

因為我們的想法都不相同。

總而言之,

我們只是害怕自己的想法,

覺得可怕,所以害怕,

這個問題對人和貓來說都是一樣的。

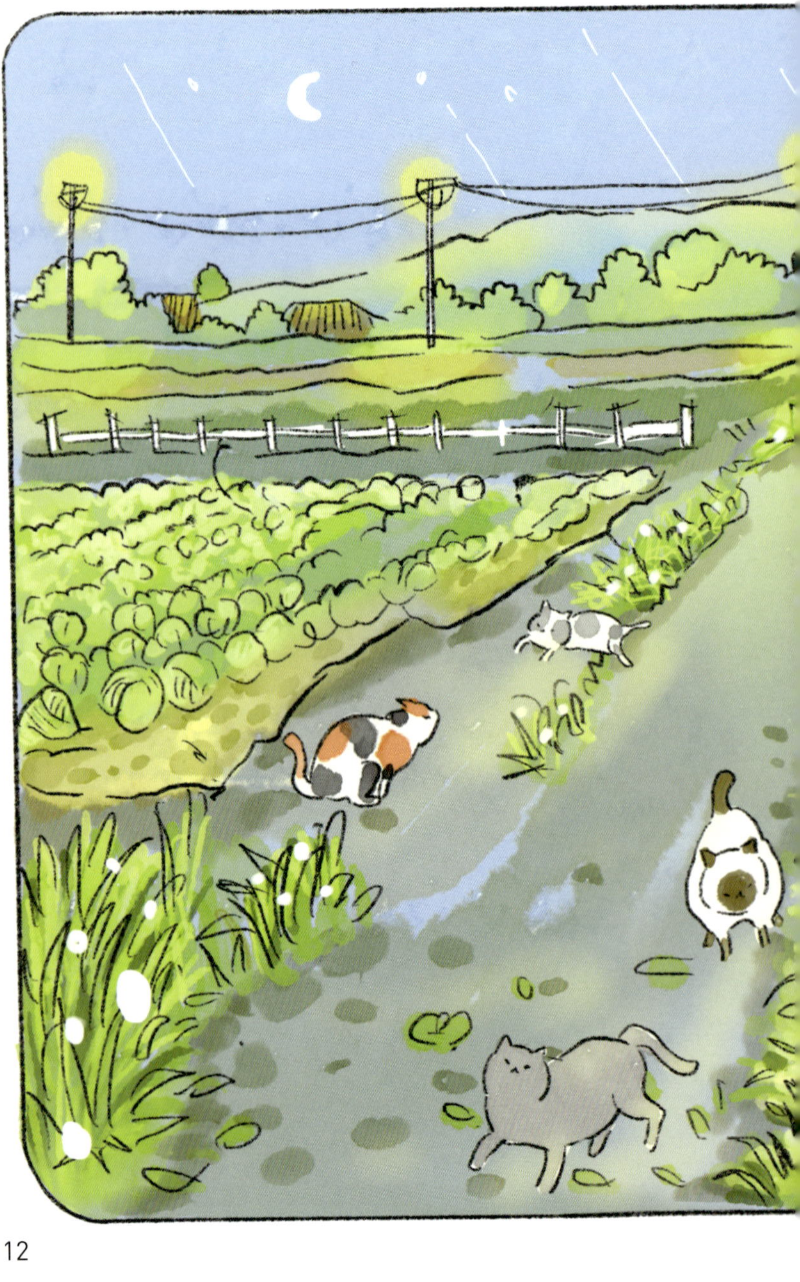

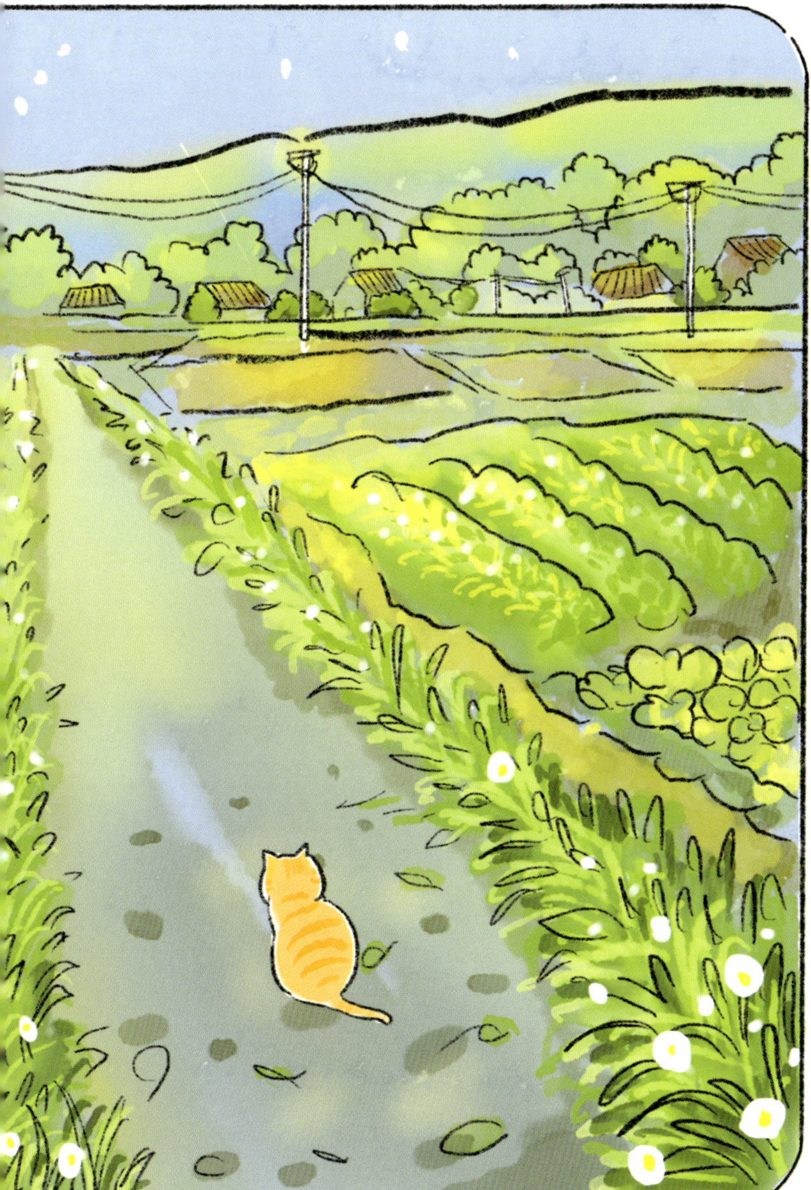

Chapter 4

貓也懂的道理

購買昂貴的東西回來放

相信我⋯⋯

你也曾看過我看到的事情,

現在這樣的人還是很多,

他們買東西不是為了使用,

而是為了買來擺放,像當作神一樣供奉起來。

隨著價值觀的改變，
社會對於價值的標準在變化，
如果想讓自己看起來優雅、有品味，
就必須使用昂貴的物品。

現在的物品除了要能正常使用外，
還必須有名氣，
人們不再關心它是否實用，
反而更在意是出自哪個品牌。

因為物品很貴,所以會捨不得。

不太敢使用,也不太常使用。

只要向別人炫耀一下,就心滿意足了。

這樣的人更注重照顧物品,

勝過實際使用它們。

因為害怕磨損、害怕弄髒,

所以買來是為了擺放、炫耀,而不是為了使用。

你們不知道嗎？

擁有需要照顧的物品，是一種心靈的負擔。

一旦弄髒、損壞了，心裡就會不舒服。

人類啊，

把自己的幸福寄託在別人身上，

難道還不夠辛苦嗎？

還要把自己的安全感寄託在買來的物品上嗎？

「物品是拿來使用的，

還是拿來成為心靈的負擔呢⋯⋯？」

擺脫金錢的束縛

每個人都喜歡自由，
自由是每個人都渴望的，
不論是人類還是動物，
每個生命都渴望自由。

身為貓咪的我們，

不論被主人養了多久，

都還是常常偷跑出去玩，

因為這是我們的自由。

但奇怪的是，我看到人類的行為是這樣的：

人們渴望自由，卻過著充滿條件、沒有自由的生活。

人類在許多方面都缺乏自由，
但主要掌控人類生活的，
無非就是金錢吧。

金錢是世界上最奇怪的東西之一，
擁有的錢越多，就越是成為金錢的奴隸，
想持續擁有更多的錢。
越是沒有錢，就越想要它，
因為想要擁有錢，
於是不得不再次成為金錢的奴隸。

如果想擺脫金錢的束縛,
就不該一直想著人們應該擁有多少錢,
而要滿足於自己所賺的錢。

當人們擁有足夠的金錢時,應該要為此感到滿足,
但相反的是,當他們擁有更多金錢時,反而渴望擁有更多。

生活的自由,
「不在於擁有多少錢,
而在於我們怎麼樣才能感到滿足。」

問題

讓我跟你說一件事,
昨天我經過一棟房子,嘴裡叼著一條魚,
差點就被那棟房子裡的狗咬了,
幸好我來得及逃脫,但我的魚被牠搶走吃掉了。
雖然覺得很可惜,但我不覺得難過。
至少我學到了:以後別再經過那棟房子。

生活了很多年，我學到了：
每個生命總會遇到不如意的問題。
無論是人類還是動物，
一定都會遇到相同的問題。

許多人不太喜歡問題、不想遇到問題,
因為他們認為有問題就是發生了不好的事情。

但你知道嗎?事實上,
那些幫助我們學習得更快、想得更周全、做得更好的事情,
都來自我們所遇到的問題。

事情就是這樣，
如果沒有遇到問題，我們通常不會努力改進自己，
只是過著舒適的生活，不會有任何改變或發展。
遇到問題，就是提升自己的機會。

無論我們喜歡與否，我們總會碰到問題。
當問題無法避免時，
就讓我們學習如何讓問題成為有益的東西吧。

問題只是件正常的事，
它是有益還是有害，
取決於我們自己的學習。

平凡中的不平凡

這個世界上有一個祕密,我無意中發現了它。
有一天,我舒適地躺著睡覺,一覺睡到了傍晚。
然後,我發現了一樣看似普通卻非常特別的東西,
我們稱之為「**時間**」。

身為貓咪的我有不設限的睡眠時間，再加上細心的觀察，

我發現了時間的特別之處——

它能夠幫助療癒一切，

當我們不舒服時，

當我們悲傷時，

當我們感到無能為力時，

我們可能會想：現在沒有什麼能幫助我了。

但在現實中，

「時間」正在身邊治癒著我們，

我們只需要耐心等待。

如果你還不理解,那麼試著回想過去吧。
你會發現許多曾經認為難以克服的困境,
現在都已經過去了,
我們已經能夠再次微笑,
我們已經度過了一切,
不知不覺地解決了所有問題。
這就是「時間」的特別之處,
它能夠治癒一切。

這世界上沒有什麼好怕的,
我們從不孤單。

**「心平氣和地等待,活得輕鬆自在,
剩下的,時間會幫我們解決。」**

人類的幸福

我看到許多人,

活著是在追逐、尋找某些事物。

有些東西我們找不到,

有些事情做得越多,就越需要一直做下去。

人們常認為自己做的一切都是為了幸福，
但實際上，許多行為都是出自於內心的缺乏。

就是這樣，
因為有所缺乏，所以必須去做。
當有所缺乏時，就會渴望尋找東西來補足。
但是，藉由外在事物來填補內心的缺乏，
無法真正填滿心靈的空虛。

我們可能會從周遭的人身上學習，
做什麼能夠帶來幸福。
我們可能會從社群媒體中學習，
什麼樣的幸福是大家嚮往的。

但是，你知道嗎……
依照別人幸福的方式而活，
可能無法讓你感到真正的幸福。

因為幸福是填滿自己內心的感覺，

如果只是一味地模仿，

是不可能真正感到幸福的。

幸福就像拼圖一樣，

想拼湊自己的心，

首先要看看自己缺少什麼。

先了解自己的心，

試著問問自己，

你認為的幸福，到底是什麼呢……？

幸福不一定要用錢才能買到，
幸福並不等於要吃美味的食物，
幸福並不代表要使用昂貴的物品。

別在沒有足夠時間觀察自己的情況下拼拼圖，
別在不知道自己想要什麼的情況下追求幸福。

**「因為做了多少事情並不重要，
重要的是，做了以後，你是否真的感到幸福？」**

衰退的美好

一轉眼,我身為貓咪已經過了11年。

我知道,貓咪到了11這個歲數,

健康的身體就會開始衰老。

如果換算成人類的年紀,就像是大約60歲的人。

可以說我開始變成一隻老貓了。

很多人可能認為這是一件壞事，
為什麼每個生命都會衰老？
為什麼身體不能永遠保持健康？
但在我看來，
這樣的衰老是每個生命的好朋友。

**因為衰退是生命的平衡，
它能夠提醒世界上的一切。**

如果沒有衰老來維持，
世界就會失去平衡，
所有已經誕生到世上的生命將多得氾濫。

如果生命生而不滅，這個世界將會無處可居，
因此，衰老是維持這個世界的關鍵。

前一代的生命消逝，
新一代的生命取而代之，
這就是維持世界常態的平衡。

如果每個生命都不會衰老，會怎麼樣呢？
出生、茁壯，然後便突然死去，
生活就會漫無目的，缺乏自我反省，
也沒有任何事物能夠延緩生命的節奏。

衰老不斷提醒著我們，
我們應該過什麼樣的生活？
它喚醒了我們的意識，
讓我們思考，什麼才是美好的生活？

當我們試著透過觀察來理解，
就會發現衰老有多麼美好。

每當我們的身體衰退時，
每當我們周圍的環境衰退時，
就是我們喚醒意識的機會。

像我這樣的貓都能理解，
人類應該也能開始明白吧。

**「越是衰老，越應該保持覺察，
不僅僅是照顧好自己的身體。」**

不可避免,但可以選擇

今天我走路經過了一個垃圾場,

那裡有很多垃圾,

廢棄的垃圾堆非常臭,

連像我這樣的貓咪都受不了,

所以我只好趕緊逃離垃圾堆。

走了沒多久，
我就在路邊發現了花叢，
嗯……有幾朵花剛開，
到處瀰漫著花香，
味道真是太香了，真想坐在那裡聞一聞。

我們來想一想，

走路時遇見鮮花和垃圾堆，

就像我們自己過著的生活。

鮮花就像生活中的美好事物，

垃圾堆就像發生的任何壞事一樣。

有時我們會遇到美好的事情，

有時我們會遇到不好的事情，

這是生活中自然的一部分，

每個人都會遇到。

當生活必須面對不同的事情時，
人類總是喜歡將好壞兩端盡收，並混合在一起。

大多數人都是這樣，
有時因為鮮花的香氣而感到幸福，
有時又因為垃圾的惡臭而感到痛苦。

事實上，

雖然我們無法避免生活中偶爾會遇到不好的事情，

但至少我們可以選擇，

選擇只思考和關注那些好的事情。

遇到鮮花及垃圾堆可能是很正常的事，

但如果不懂得如何選擇，這就奇怪了。

我們可以選擇只收集那些好的事物，就像鮮花一樣。

「在我們的生活中，我們擁有的選擇，

其實遠比我們想像的還要多。」

但身為貓咪的我，做了更好的選擇。
我不想採鮮花或撿垃圾，
我只想走過去就好。

無論花朵多麼芬芳、美麗，
沒多久總是會枯萎。
最後，還是不得不丟掉那些花。

**「比起留下東西然後有一天必須丟掉，
不收藏它們反而還比較輕鬆。」**

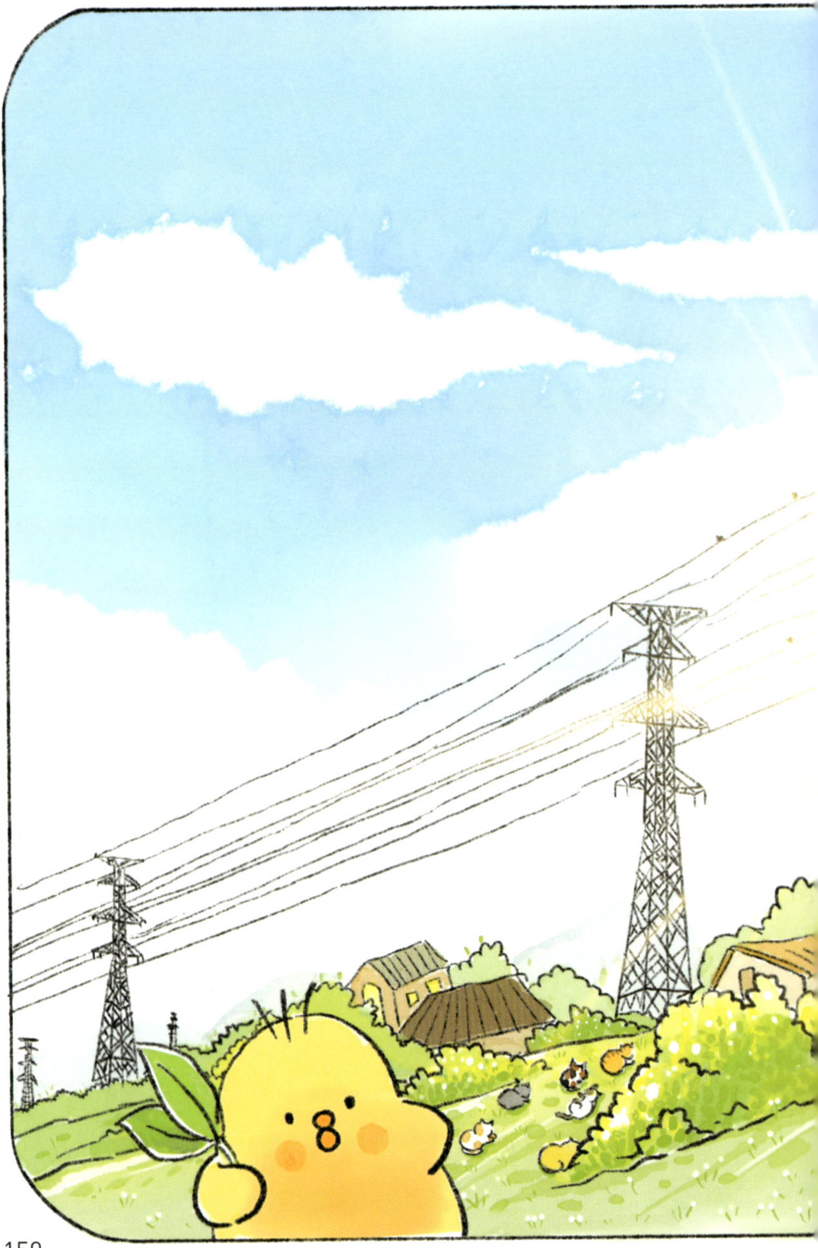

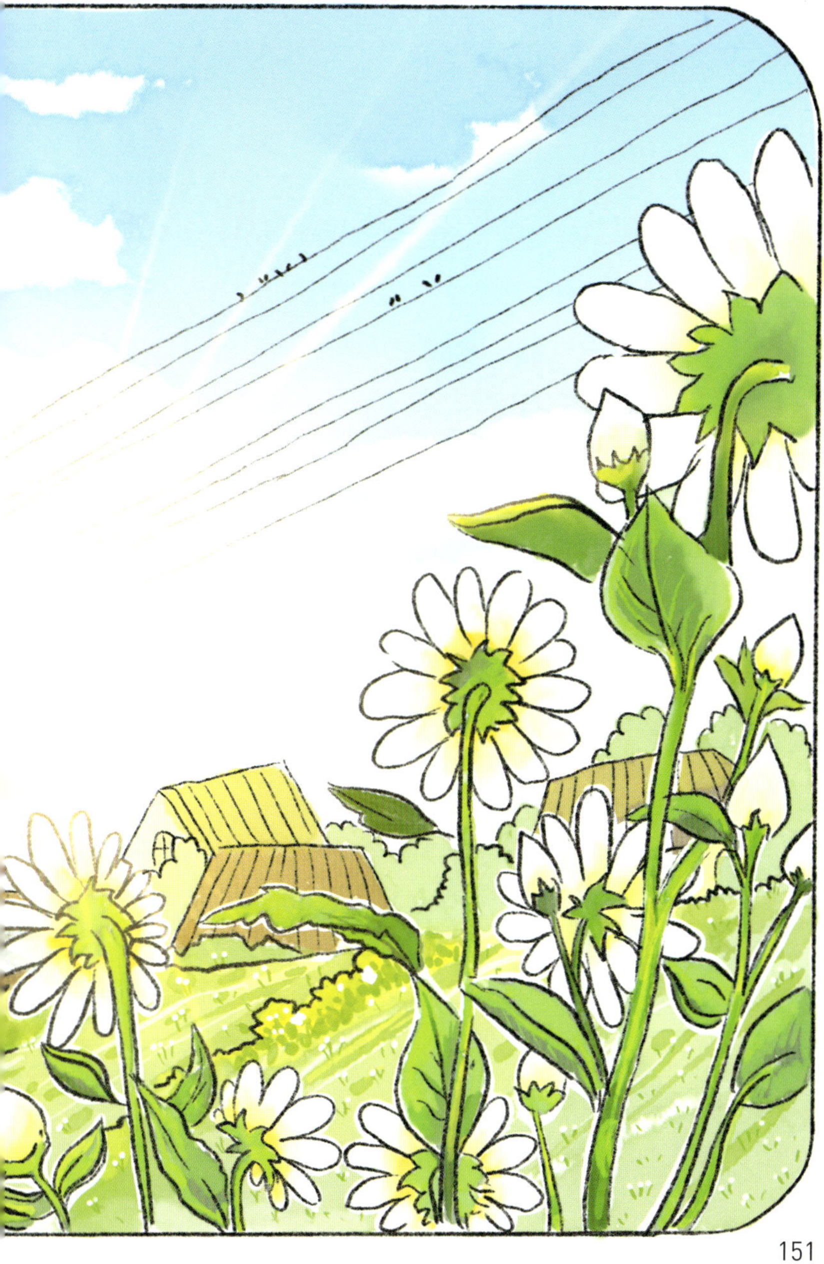

「真正的美好生活，沒必要把事情搞得很困難，
幸福比你想像中的還簡單。」

這是我透過觀察得到的答案。
我翻來覆去思考了很多年，
清楚地了解到，
一切都只是我們自己的想法。

我們該怎麼過生活？
我會成為什麼樣的人？
什麼是幸福？
什麼事情會讓我感到痛苦？
每個人都會思考並做出假設。

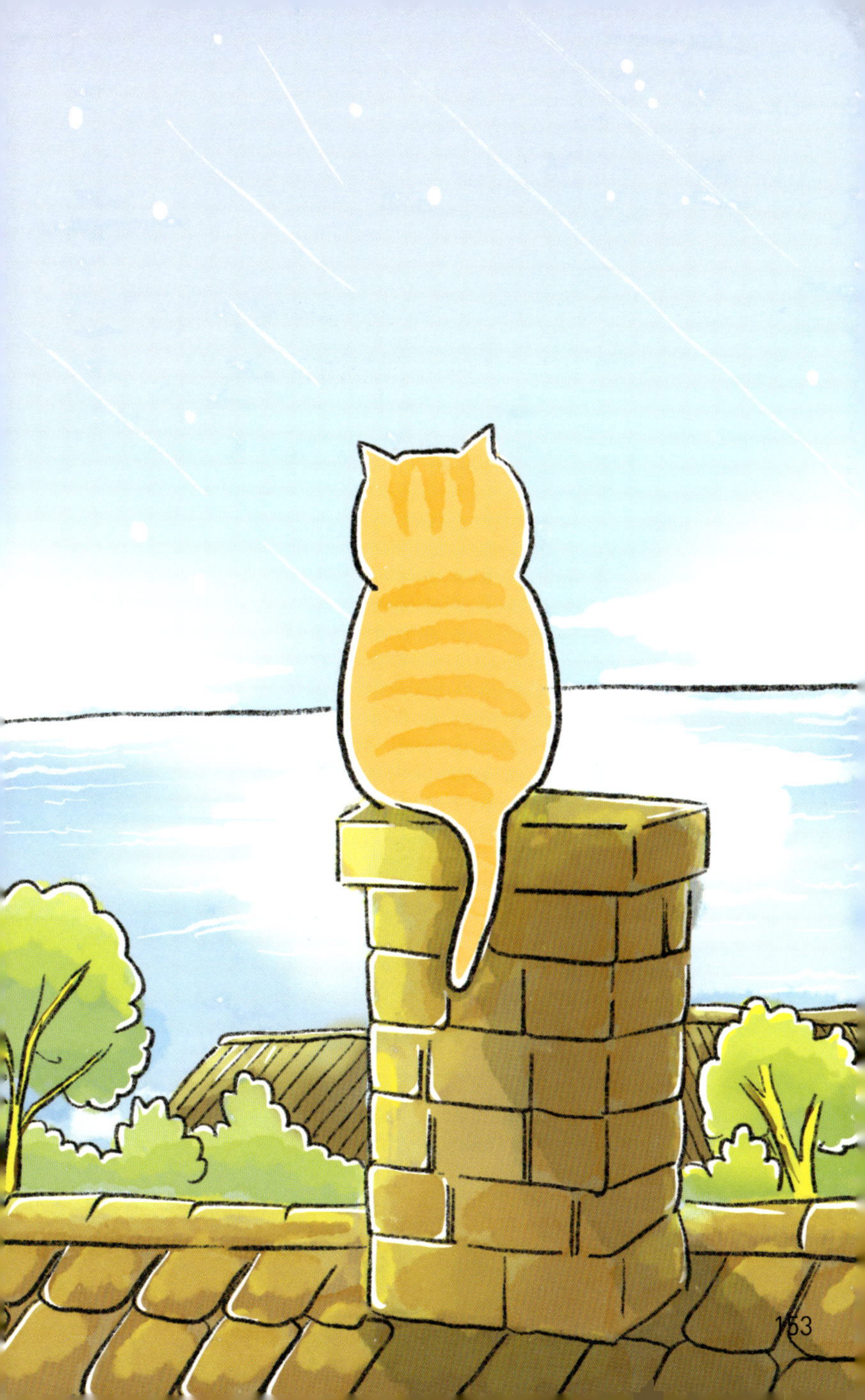

「自己想來想去,然後又去模仿別人,
反而讓事情變得更加複雜,
讓自己身陷麻煩。」

事實上，
對於怎麼過美好的生活，並不存在絕對的規則。
每個人都渴望獲得幸福。

但很多時候，
人們所做的事情，
反而讓幸福變得更加難以實現。

人們做的每一件事，都在模仿他人，
一直跟著做，最終卻忘記了，
我們只是想要幸福而已，
而這份幸福不必與他人相同。

如果不把幸福想得太困難，它其實不難。
幸福之所以變得困難，是我們自己想出來的。
我們為什麼要在思考之後，認定擁有美好的生活很困難呢？
「簡單的幸福，其實比你想像中還要簡單。」

無論是人類還是動物,生命的週期都不長,
也不會永遠存在。

每一個誕生的生命都不會太長久,
終究都會離開這個世界。

請記住,一切都是暫時的。
別忘了,不久之後,所有事情終將過去。

無論我們經歷了多麼艱難的事,
無論我們有多麼幸運,
到了最後,這些短暫的事物都會過去,
我們總是能重新開始。

我並不會永遠是我,
我也並非一直是我,
當我不再執著於「自己」的時候,
「我」就會從這些想法中漸漸消散。

一隻貓、一個人,
一切都只是一個想法,
都是構思出來的念頭,總有一天都會消失。

**「想要擁有美好的生活,就不要想太多,
生活本來就已經足夠美好了。」**

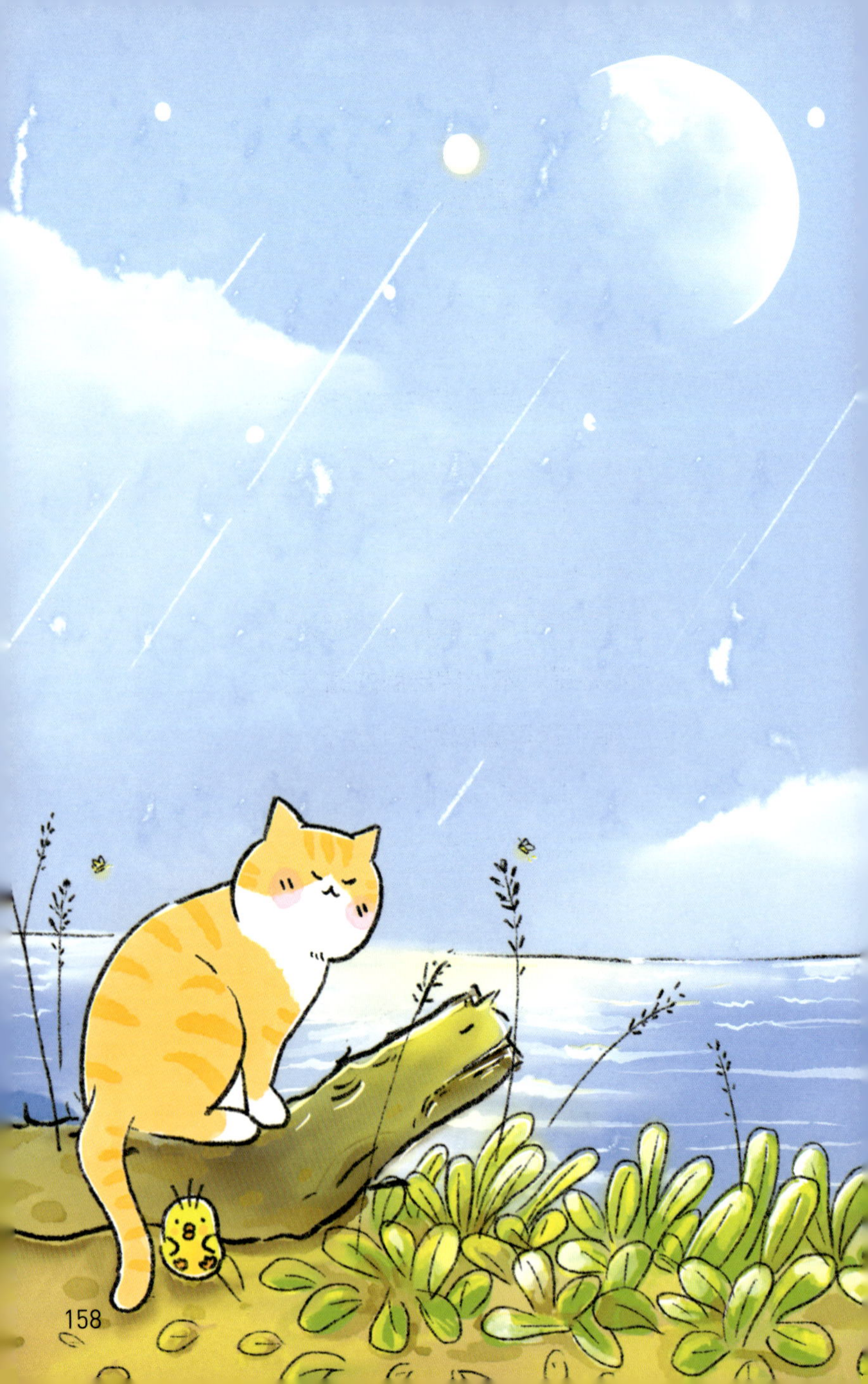

插畫家致謝

畫了很多次的圖,

這一次畫得似乎比之前更加認真。

這是我生命中最令人興奮的事情之一,

因為我對於畫圖根本沒有藝術天分。

感謝前輩們的信任,給了我這個機會,

讓我能嘗試一些從未做過的事。

這可能是最具挑戰性的繪圖工作,

因為這是一本公開出版的圖文書。

雖然有時會感到灰心沮喪,

但當我成功完成時,

我為自己的作品感到驕傲,

因為這是我的第一本書籍插畫作品。

Panatchakon Yusabai

(พนัชกร อยู่สะบาย)

高寶書版集團
gobooks.com.tw

NW 300
轉世為貓咪後，生活剛剛好就美好
放下條件，不糾結、不比較，幸福來得更簡單

作　　者	柴雅帕．通甘班宗（ชัยพัฒน์ ทองคำบรรจง Chaiyapat Tongkambunjong）
繪　　者	帕納查功．尤薩拜（พนัชกร อยู่สะบาย Panatchakon Yusabai）
譯　　者	Pailin Peilin
責任編輯	陳柔含
封面設計	林政嘉
內頁排版	賴姵均
企　　劃	陳玟璇

發 行 人	朱凱蕾
出　　版	英屬維京群島商高寶國際有限公司台灣分公司
	Global Group Holdings, Ltd.
地　　址	台北市內湖區洲子街 88 號 3 樓
網　　址	gobooks.com.tw
電　　話	(02) 27992788
電　　郵	readers@gobooks.com.tw（讀者服務部）
傳　　真	出版部 (02) 27990909　行銷部 (02) 27993088
郵政劃撥	19394552
戶　　名	英屬維京群島商高寶國際有限公司台灣分公司
發　　行	英屬維京群島商高寶國際有限公司台灣分公司
法律顧問	永然聯合法律事務所
初版日期	2025 年 04 月

原書名：ชีวิตที่ดีมันต้องยาก ขนาดนั้นเลยหรือ...?

Copyright © Athingbook
Original Thai edition © AS MEDIA CO.,LTD.
Complex Chinese edition © 2025

The Complex Chinese translation rights arranged through arranged through Rightol Media (Email:copyright@rightol.com)

國家圖書館出版品預行編目 (CIP) 資料

轉世為貓咪後，生活剛剛好就美好：放下條件，不糾結、不比較，
幸福來得更簡單 / 柴雅帕.通甘班宗著；帕納查功.尤薩拜繪；
Pailin Peilin 譯. -- 初版. -- 臺北市：英屬維京群島商高寶國際
有限公司臺灣分公司, 2025.04
　面；　公分.--

ISBN 978-626-402-224-8(平裝)

1.CST：人生哲學　2.CST：生活指導

191.9　　　　　　　　　　　　　　　　　　114003155

凡本著作任何圖片、文字及其他內容，
未經本公司同意授權者，
均不得擅自重製、仿製或以其他方法加以侵害，
如一經查獲，必定追究到底，絕不寬貸。
版權所有　翻印必究